Pour J... ...l   2020

de la

Papie et ...

Gros Bisous.

GW01043861

Édité en 2017 par Hachette Livre, 58 rue Jean Bleuzen, 92178 Vanves CEDEX. Tous droits réservés.
Dépôt légal : mars 2017. Édition 11. Achevé d'imprimer en décembre 2019 par Pollina en France - 91684.
Adaptation : Aurélie Desfour. Maquette : Morgane Leloup.
Loi n° 49-956 du 16 juillet 1949 sur les publications destinées à la jeunesse.

PAPIER À BASE DE
FIBRES CERTIFIÉES

hachette s'engage pour
l'environnement en réduisant
l'empreinte carbone de ses livres.
Celle de cet exemplaire est de :
400 g éq. CO2
Rendez-vous sur
www.hachette-durable.fr

# L'anniversaire de Peppa

hachette
JEUNESSE

Aujourd'hui, Peppa
se réveille très tôt.
C'est son anniversaire !
   - Youpi ! dit-elle en s'étirant.
J'ai quatre ans !

Peppa descend de son lit
pour aller réveiller son petit frère.

- Debout ! C'est mon anniversaire ! annonce-t-elle.
- Groin ! répond George.

Peppa et George vont
ensuite sauter sur le lit
de Maman et Papa Pig.
- Levez-vous ! crie
Peppa. C'est mon
anniversaire !

- Peppa, il est seulement cinq heures
du matin ! bâille Papa Pig.
- Oui, mais je ne veux pas perdre une seule minute
de cette journée ! dit Peppa en riant.

La famille Pig prend le petit déjeuner dans
la cuisine. George tend un gros cadeau à Peppa.

**- Joyeux anniversaire, Peppa !**
s'écrie la famille Pig en chœur.
- Qu'est-ce que c'est ? demande Peppa.
- Ouvre le paquet pour le savoir ! répond Maman Pig.

Peppa attrape le paquet.
- Il est tout léger ! s'étonne-t-elle.
Elle défait le ruban et découvre...
un bout de papier !
- C'est un bon pour un spectacle
de magie, explique Papa Pig.

- **Waouh !** Merci pour
ce cadeau ! s'écrie Peppa, ravie.

C'est déjà l'après-midi.
Les invités de Peppa sont arrivés !
– Bon anniversaire, Peppa ! disent-ils, chacun leur tour.

- Merci, les amis !
Maman Pig vient chercher les enfants.
- Suivez-moi dans le salon ! La fête va commencer !

Quelques minutes plus tard, Papa Pig les rejoint avec sa tenue de magicien.

**Hourra !** C'est l'heure du spectacle de magie !
– Attention, Mesdames et Messieurs !
Voici Papa Magie ! annonce fièrement Peppa.

Papa Pig enlève son chapeau
et plonge sa main dedans en
prononçant une formule magique :

# - Abracadabra !

Comme par magie, Teddy apparaît
avec une robe toute neuve.
- Bravo ! s'exclame Peppa.
Quel tour génial !

Les enfants applaudissent le magicien.
- Maintenant, c'est à votre tour de faire
de la magie ! annonce Papa Pig. Fermez les yeux
et dites « Abracadabra » !

- Abracadabra !
répètent tous les enfants en chœur.

- Ouvrez les yeux, continue Papa Pig.
- Oh ! s'émerveillent les enfants. Un gâteau
d'anniversaire à la banane !
Tout le monde se réunit autour de Peppa pour chanter.

Joyeux anniversaire,
Joyeux anniversaire,
Joyeux anniversaire, Peppa !
Joyeux anniversaire !

– Merci beaucoup, dit Peppa.

Peppa gonfle ses joues pour souffler
sur ses bougies. **Fouuuu ! Bravo !**
Elle a éteint les quatre bougies du premier coup !
- Youpi ! Mon vœu va se réaliser ! se réjouit Peppa.
- Tu as fait quel vœu ? demande Suzy Sheep.

- J'ai souhaité que tous mes anniversaires soient aussi magiques que celui-là ! dit Peppa.

Grouin !

Retrouve vite les autres histoires de Peppa et George !

Peppa Pig — Peppa a peur de l'orage

Peppa Pig — Peppa fait du ski

Peppa Pig — Peppa va à Paris

Peppa Pig — Peppa va dormir chez Zoé

Peppa Pig — Peppa va chez le dentiste

Peppa Pig — Peppa va à la piscine

Peppa Pig — Peppa part en vacances

**Peppa joue au football**

**Peppa part en camping**

**Peppa a perdu une dent**

**Peppa et la galette des rois**

**Peppa se dispute avec Suzy**

**Peppa fête Noël**

**Peppa se déguise**

**Peppa veut des lunettes**

**Peppa va à la bibliothèque**

**Peppa va à l'école**

**Bonne nuit Peppa**

**Peppa fait des crêpes**